KB004276

훗날 내 청춘을 떠올리면,
네가 가장 먼저 생각날 거야

□

노선경

Mail sunkyungroh@gmail.com
Instagram @pantyfairy
Facebook @sunkyungroh

□

안녕하세요.
일러스트레이터 노선경입니다.

이 책은 현재 사랑을 하고 있는 사람들만을 위한 책은 아닙니다.
먼 과거의 내 청춘을 함께 한 사람, 지금 나와 청춘을 만들어 가고 있는 사람,
떠올리기만 해도 가슴 벅찬 사람, 첫사랑, 처음으로 이별의 아픔을 알게 해준 사람,
혹은 이 책을 읽으며 떠오르는 사람.
그런 사람, 사랑을 기록하기 위해 만들어진 책입니다.

훗날 내 청춘을 떠올렸을 때, 그때의 기억이 가장 선명해질 수 있도록
여기에 담아보세요.
누군가와 함께여도 좋고, 이미 혼자가 된 당신이어도 좋습니다.
책을 여러분의 이야기로 모두 채웠을 때,
스스로 간직할 것인지 누군가에게 선물할 것인지는 모두 여러분의 몫입니다.

2019, 봄

HOW TO USE

—

스티커에 빈 말풍선을 추가해놓았어요.
그림 속 대사 위에 여러분의 이야기로 자유롭게 추가하거나 수정하셔도 됩니다.
페이지 여백에 여러분의 생각을 마음껏 적어도 좋아요.

자, 이제 펜과 색연필을 들고 책 속 질문의 답을 채워 넣어 여러분의 이야기로 완성해주세요.
주인공은 바로 여러분이랍니다.

훗날 내 청춘을 떠올리면 ____________________ 네가 가장 먼저 떠오를거야.

인생에 가장 젊고 아름다운 20__년을
나와 함께 보내줘서 고마워
훗날 내 청춘을 떠올리면
네가 가장 먼저 생각날 거야

뜨거운 혹은 뜨거웠던 사랑을

잊지 않기 위한 기록지

○

평범한 일상에 불과했던 어느 날들이,
돌이켜보면 다시는 돌아갈 수 없는 소중한 순간일 때가 있다.

이보다 더 사랑할 수 있을까 싶은 뜨거웠던 나날도 있다.

하지만 절대 잊지 못할 것 같았던 순간도
언젠간 무뎌지고 잊힐 날이 온다.
그것이 사랑이든 아픔이든.

너와의 어제를 기록한다. 이곳에.

나는 내 청춘의 단 한 부분도 놓치고 싶지 않다.
그것이 너와 함께였다면 더더욱.

이런 애가 나 같은 걸 만날까?

사랑은 때로 같은 방향을 보고 있어도
아슬하게 비껴가기도 한다.
사랑은 타이밍이다.
그런 우리가 만난 건 기적이다.

너와 내가 만날 수 있었던 경로,
우리의 첫 만남

날짜 ____________________

장소 ____________________

첫인상 ____________________

첫인상에 대한 감정을 표정으로 표현하고
먼저 다가와준 상대에게 홍조를 그려주자

호감이 생긴 이유

언제 만남에 대한 확신이 들었을까?

고백은 무엇으로?

고백 당시 멘트는?

네가 싫어하는 건 나도 싫어할게
나도 네가 좋아하는 건 함께 좋아할게

너를 위해 노력한 것들.

내가 날 위해 노력한 것들.

나만 좋아했던 취미

너만 좋아했던 취미

함께 좋아했던 취미

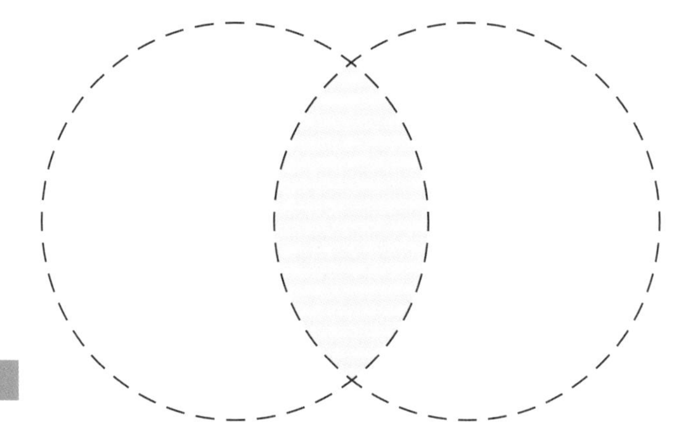

※위 작성한 표를 토대로
우리의 교집합을 구하시오.

결국 너로 인해 좋아진 것.

난 너가 말을 이쁘게 해서 참 좋다
너가 이쁜데 어떻게 험하게 하냐

다음 빈칸을
잊을 수 없는 너의 말들로 채우시오.

몸에 좋은 껌딱지

보고 싶은 사람의 이름을
보고 싶은 만큼 적어보자

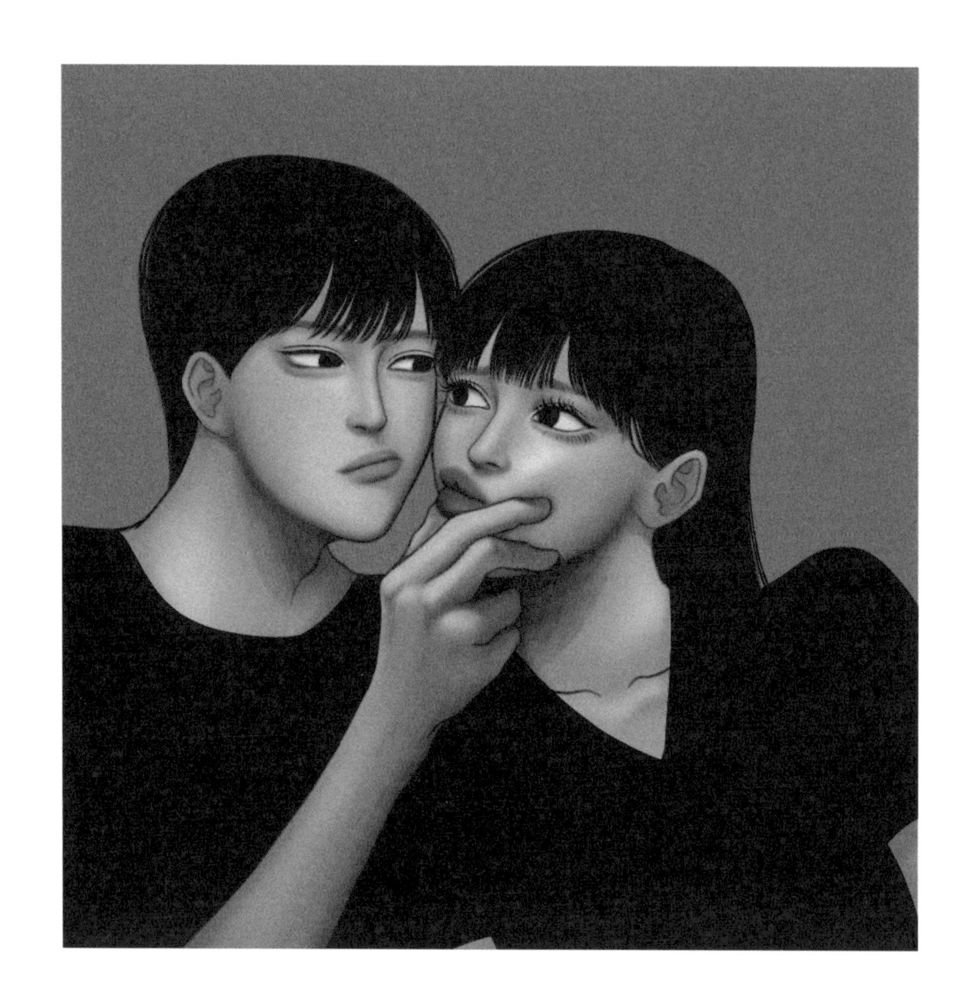

질투 혹은 집착에 관한 나의 생각

이성친구에 관한 나의 생각

절대 용서할 수 없는 것

우리의 신뢰도

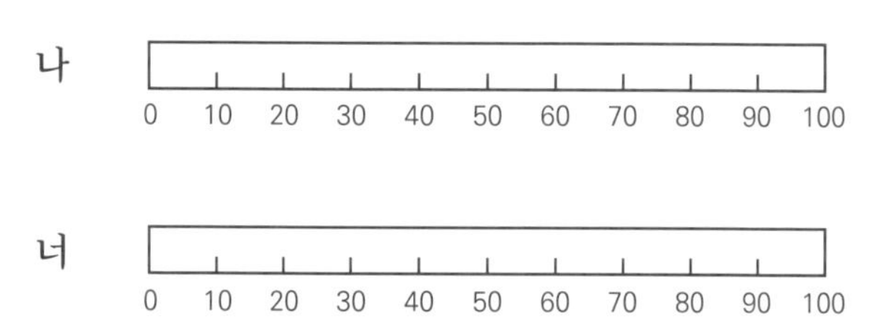
나
0 10 20 30 40 50 60 70 80 90 100
너
0 10 20 30 40 50 60 70 80 90 100

신뢰와 연락은
별개의 문제다

그럼에도 너를
신뢰할 수 없었던 순간

너는 나를
신뢰하고 있을까?

영하의 날씨에 추웠는지도 모를 만큼
뜨거웠던 우리의 겨울을 보면
아마 너와 나의 세계엔 또 다른 계절이 있나.

우리의 연애는 어떤 계절에 머무르고 있을까.

평소 우리의 온도

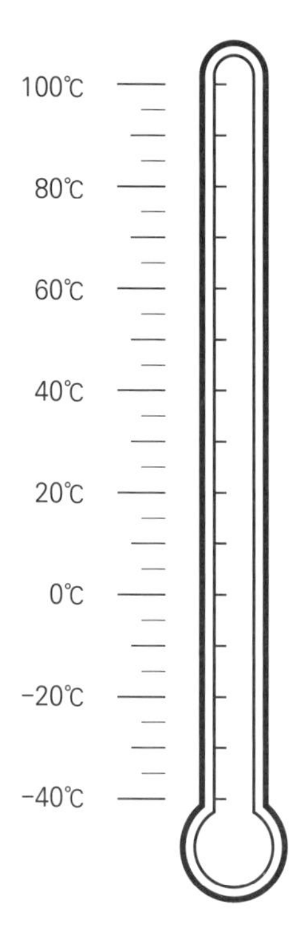

네가 가장 미울 때의 온도

when : ______________________

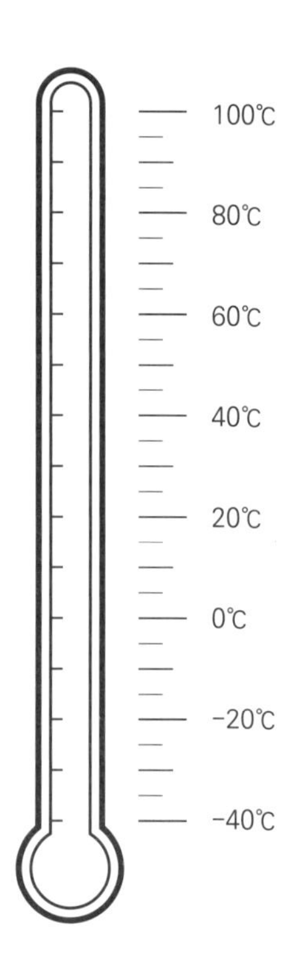

이렇게 잘 맞아도 되는 건가

●

가끔은 우리가 너무 닮았기 때문에
서로를 좋아하게 된 건지,
좋아하기 때문에 닮아가는 건지

헷갈려.

사랑하는 만큼 안아줘

사랑하는 만큼 더욱 세게 안아달라는 말을 종종 했었지.
너는 그 말에 죽을지도 모른다며 너스레를 떨었지만
나는 갈비뼈가 부서지더라도 웃겠다고 했어.

행복했던 우리가 건넨
가장 로맨틱한 말

머리카락을 서툴게 쓸어내리는 너의 손이
내겐 세상 그 어떤 빗보다도 부드러워.
난 너의 서투름이 좋아.
서툴게 쓴 편지, 서툴게 만든 음식, 서툴게 표현하던 너의 마음까지.
너의 어설픔은 오직 날 위한 것들이라.
날 위한 너의 서투름은 언제나 따뜻해서.

사랑이라는 감정은 정말 신기해.
별거 안 해도 별걸 다 사랑하게 돼.

넌 그저 내 옆에만 있으면 돼.

넌 왜 안 먹어
네가 너무 귀여워서

너는 내 질문에 언제나 엉뚱한 대답을 했다.
우리가 남이었다면 결코 이유조차 되지 못했을 아주 엉뚱한 말들.
그 어이없는 대답들이 너도 모르게 새어 나온다. 나도 가끔은 웃는다.

사람들은 비웃겠지.
나를 만나 너는 바보가 되었다고.

아 살 빼야 되는데
거기서 더 쪄도 이뻐

나를 살찌운 너의 말들

단 하루도 떨어질 수 없어

하루라도 떨어졌던 날엔
미친듯이 입을 맞추곤 했었지.

그땐 우리가 떨어지면 죽는 줄 알았나봐.

오늘 뭐하냐
여친 만나지
넌 개밖에 없냐
응.
아오...

연애를 하는 동안 나는 친구에게 소홀한 편인가.

YES NO

소홀해진 친구의 이름을 적어보자.

내가 가장 좋아하는 순간

절대 다시 돌아갈 수 없을 것 같은 순간은?

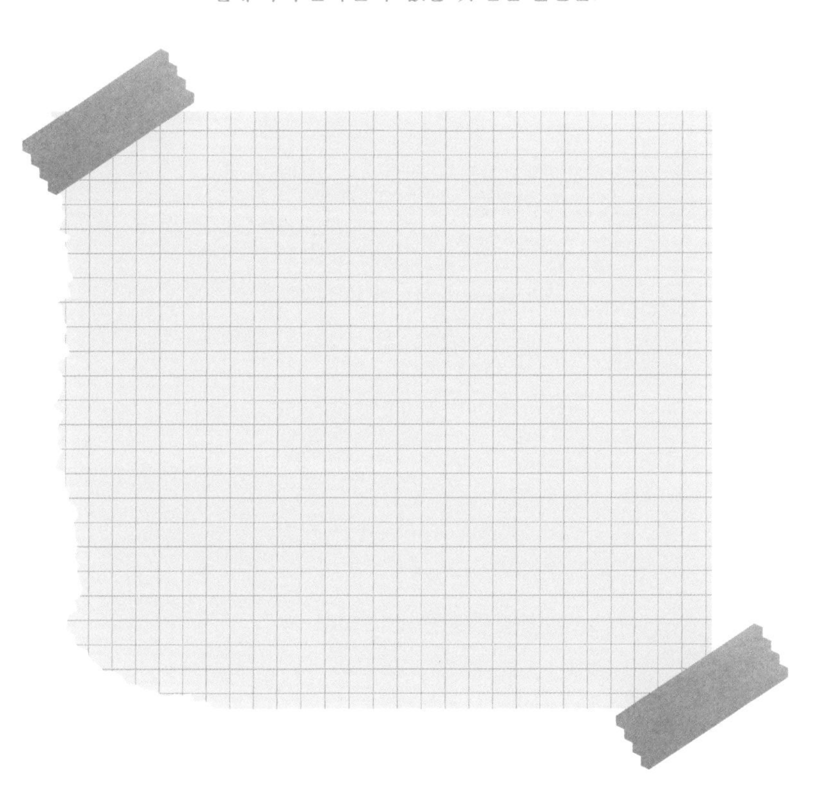

하루종일
누워있었다 우리
진짜?
많은 걸 했네

평균적인 우리의 연애 패턴

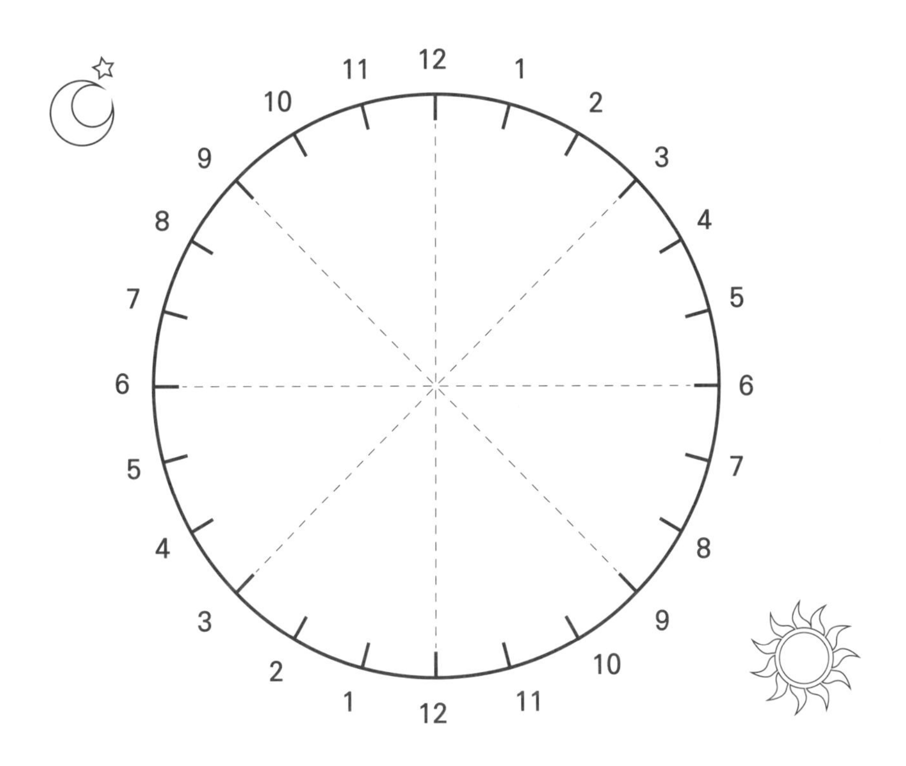

진짜 더럽게 이쁘네

나는 ______ 하는 모습까지
사랑해주는 네가 좋았어.

역시 난 너가 없으면 안 돼
나도 알아

●

그럴 때 있잖아. 딱히 특별한 걸 한 것도 아닌데,
네가 너무 소중해지는 날.

그런데 그게 매일인 거지.

난 외모 안 봐. 중요한 건 내면이지
잘생긴 건 다 부질없어

연애 전,
내가 가지고 있던 신념과 기준

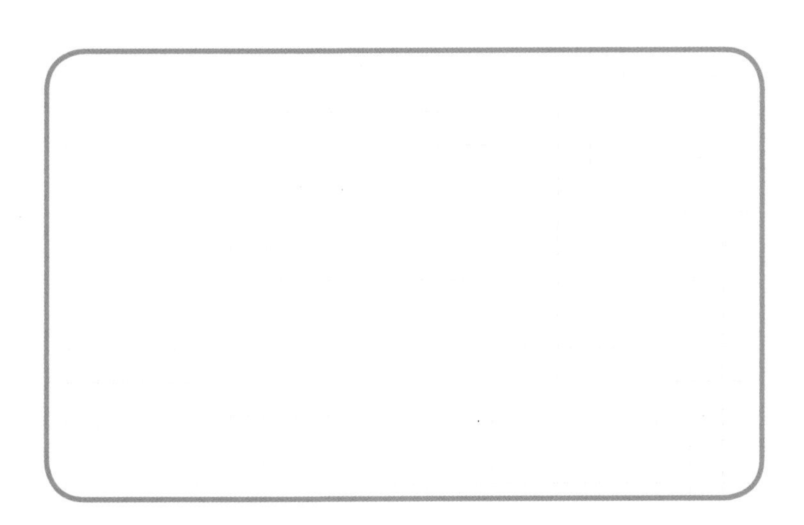

내 남자친구가
세상에서 제일 잘생긴 것 같아....

연애 후,
무너진 나의 신념과 그 이유는,

가만히 있어도 귀여운 너를
그래서 더욱 가만히 둘 수가 없다.

네가 정말 내 것이 맞는지 꼭 안아도 보고
너무 좋아서 찔러도 보고
꿈이 아닌지 물어도 본다.

정말 내 것이 맞다고 실감이 날 땐
더더욱 가만히 둘 수가 없다.

[입술보관함]

립스틱을 짙게 바르고

뺨에 입술도장을 남겨두자.

훗날 멀리 떨어져있게 되더라도 너의 온기는 온전히 이 페이지에-

[입술보관함]

립스틱을 짙게 바르고

뺨에 입술도장을 남겨두자.

훗날 멀리 떨어져있게 되더라도 너의 온기는 온전히 이 페이지에-

여기—

이런 병신을 왜 좋아했지?

전 남자친구를 보는 심정. 탈 콩깍지 시점.

좁아터져도 너랑 누울래

둘이 함께 누웠을 때,
침대에서 내가 차지하는 공간.

품 안에 네가 있는 것만으로도

온 세상을 다 가진 기분.

오, 프사 니 여친?
응.

너가 아깝다

....

내 여친이 더 아까워
시벌놈아

●

무례한 사람 앞에서 무조건 내 편이었던 사람.

차라리 자기가 망가질지언정,
나를 깎아내리는 건 절대 용서할 수 없다고 했던 사람.

보이지 않는 곳에서도 나를 위해주던 고마운 내 새끼.

저녁 뭐 먹을래?
너♡

무슨 대답이 올지 뻔히 알면서도
매 끼니 물었지.

오늘은 무엇을 먹을 거냐고.

사랑한단 말 쉽게 하지마
사랑해
쉽게 하지 말라니까?
쉽게 한 거 아니야

이곳에서만큼은 쉽게 사랑을 외쳐보자

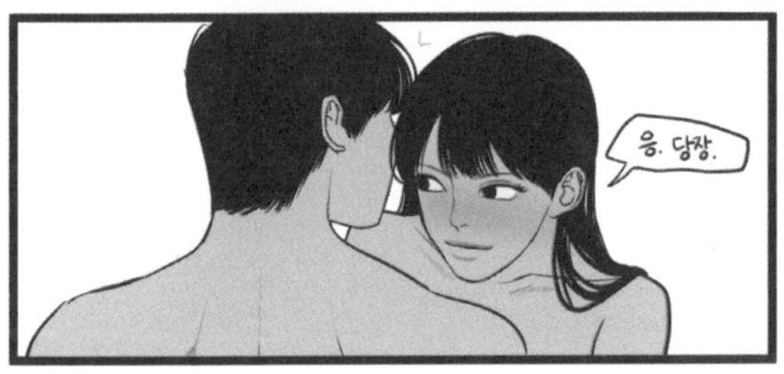

아껴주지 않는 게 좋더라.

네 냄새 너무 좋다
무슨 냄샌데?
그냥 네 냄새

●

너라는 사람이 수많은 해를 거쳐오면서 갖게 되었을 그 향.
딱히 무어라 설명할 필요 없이 그냥 네 냄새인 거야.
그래서 더욱 잊을 수 없는 냄새인 거야.

이보다 더 기적일 수는 없다

○

한때 남이었던 우리가 이렇게
가까워진 건 사랑일까 기적일까.
내 살 냄새를 유난히 좋아하는 너를 보면,
우리는 이제 절대 남이 될 수 없을 것 같아.

넌 가만히 있어 내가 사랑할게

있는 그대로의 나를 표현해보자

근심이 많을 땐 모든 일을 집어치우고
너에게로 달려가서 안겼다.

아무리 생각해도 너의 품보다 좋은 안식처는 없다.

자, 너를 위한 철벽의 말.

남자 다 꺼져주라

자, 너를 위한 철벽의 말.

여자 다 꺼져주라

화내는 모습마저 사랑스럽다
닥쳐

용서를 부르는 너의 말

친구와 자주 싸우나요?

YES NO

친구와 싸울 때 나의 모습

친구와 싸운 후 화해하는 법

연인과 자주 싸우나요?

YES NO

연인과 싸울 때 나의 모습

연인과 싸운 후 화해하는 법

아
나ー

헐 · · · · ·

귀여워 ♡

사랑했기에 가능했던 것들.

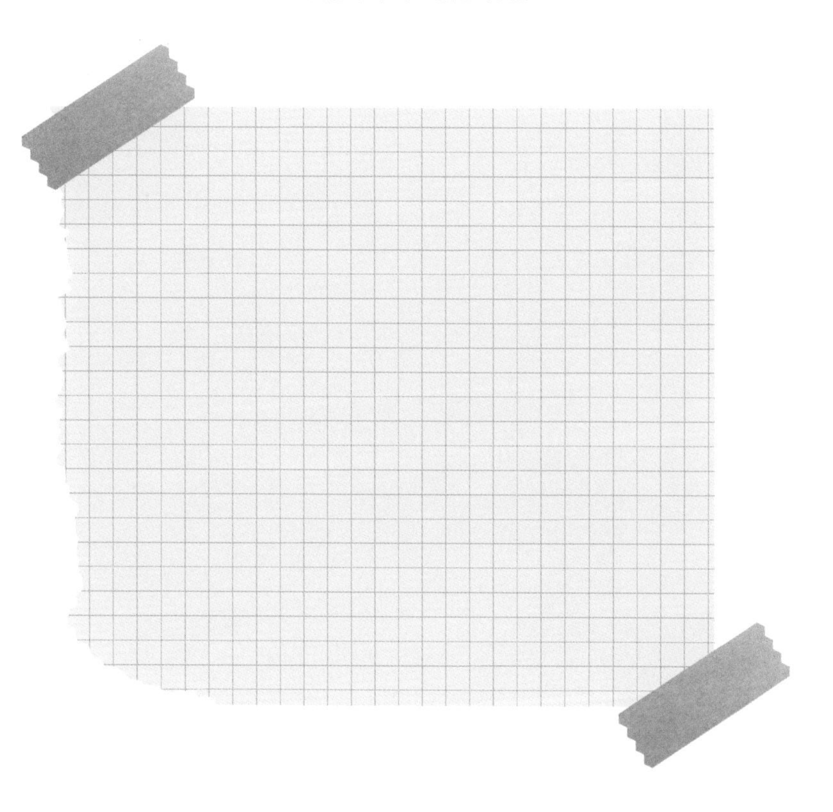

"같이 씻자."
욕조의 습기 때문인지 오늘따라 더 끈적한 우리의 온도.
미세한 너의 떨림에도 물결소리가 먼저 반응하는.

내 전재산

내 모든 걱정이 여기서 사라지는데
무슨 말이 더 필요하겠어.
그래 난 이 품 하나면 돼.

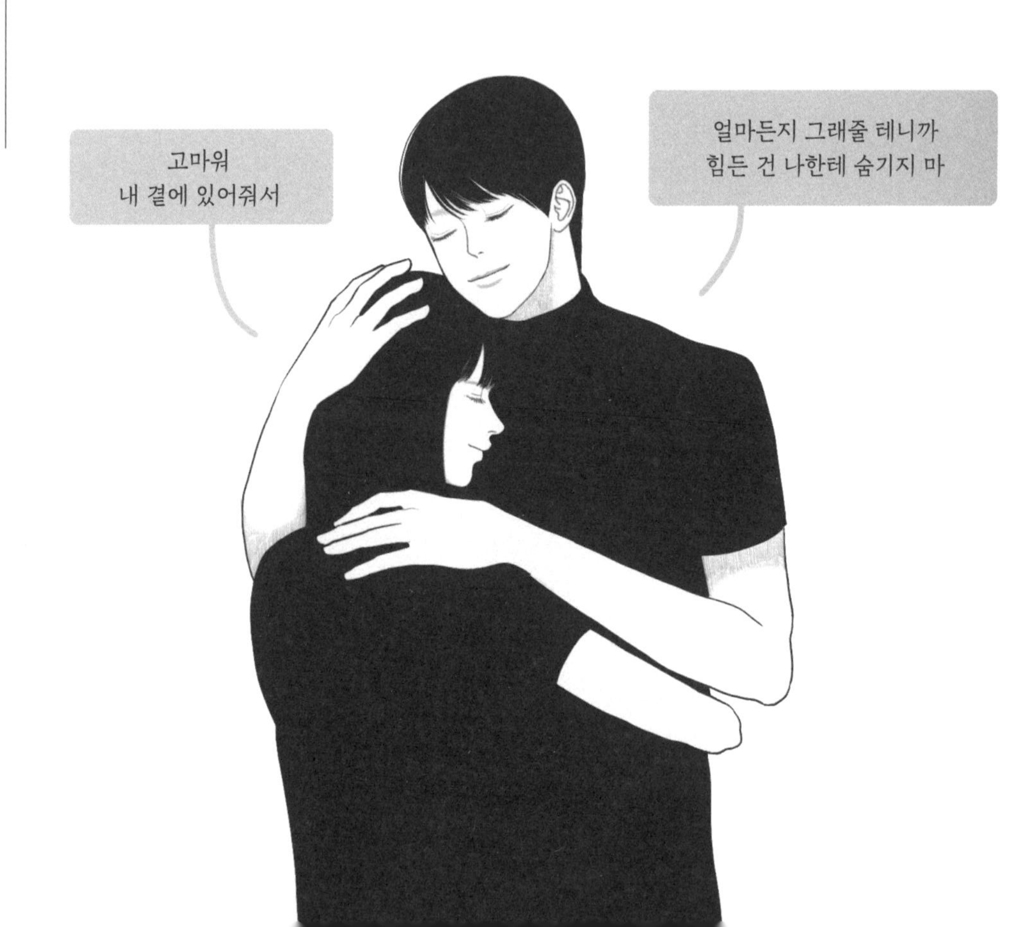
고마워
내 곁에 있어줘서
얼마든지 그래줄 테니까
힘든 건 나한테 숨기지 마

나를 위로해준 따뜻한 말

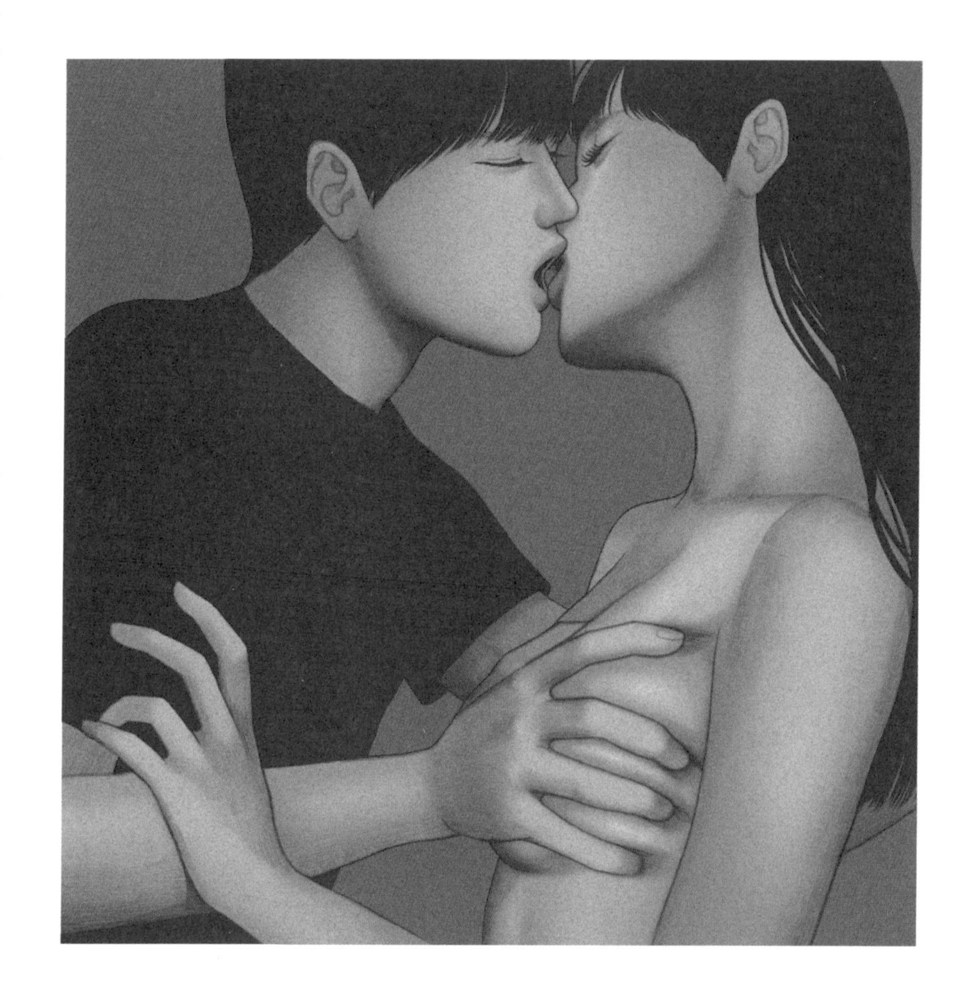

나만 아는 은밀한 그와 그녀의 매력

뭘 했다고 올해가 벌써 다 갔지
나랑 연애했지

■

올해엔 무엇을 했을까.

꾸준히 운동했을까.
공부에 미쳐도 봤을까.
열심히 돈을 모았을까.

모든 것이 아쉬움으로 가득한 연말에 문득 떠오른 건
오직 너와의 뜨거운 연애였다.
올해 알차게 너와 사랑했구나.

아-
나는 너만으로도 가득 찬 한 해를 보내는구나.

이렇게 내 청춘을 가득가득 채운다
그것이 사랑이라 아쉬울 것이 전혀 없는 내 청춘.

20___년이 특별했던 건, 너를 만났기 때문이야.

올 한 해는 온전하게 너를 좋아하는 일로 가득했었으니까.

20___년은 오롯이 너로 기억될 거야.

네 얼굴을 매일 봐서 그런지
다른 여자가 다 오징어 같아

너는 나를 너무 좋아해. 말하지 않아도 알 수 있다.
나를 좋아하는 일이 너에게는 너무 큰 일이었으니까.

가만히 앉아서 웃기만 해도 좋아하는 연예인을 본 것처럼
호들갑을 떠는 너였으니까.
너의 앨범은 심심해서 보낸 나의 셀카로 가득 차 있으니까.
내가 조금만 아파도 죽과 약 봉투를 사서 달려오던 너였으니까.
하루라도 못 보게 되는 날이면 당장 내일이라도 죽는 사람처럼
아쉬워했으니까.

나조차 사랑하지 못했던 나의 얼굴을,
너는 너무 눈이 부셔서 평생 잊지 못할 것 같다고 했으니까.

그/그녀에게 반했던 결정적인 이유

그/그녀에게 반한 만큼 화살을 꽂아보자

넌 남자친구가 너 두고
여행 갔는데 걱정 안 돼?
응. 보나 마나 뻔히
내 생각 하고 있을 텐데 뭐

□

사람들은 질투가 없는 내게 이해심이 많다고들 한다.
하지만 나의 태연함은 이해심이 많은 것에서 비롯된 게 아니라,
네가 평소에 잘 쌓아둔 신뢰.

평소에 네가 친구들과 함께 여행을 갈 때면,
마치 내 옆에 있는 것처럼 5분에 한 번씩 내게 연락을 했다.
답장이 조금 늦어도 괜찮으니 마음 편히 놀고 오라는 나의 말에
너는 자기가 너무 보고 싶어서 이렇게라도 연락을 하고 싶은 거라고 했다.

네가 알려준 신뢰란 그런 것이었다.
연락이 늦어도, 이성이 많은 자리에 가도, 밤 늦게 술을 마셔도
너의 머릿속엔 온통 나뿐이라는 것을 뼈저리게 느끼게 해주는 것.

싫어하는 행동을 하지 않으려고 노력하는 것이 아니라,
너의 모든 행동을 용인하게 만드는 것.

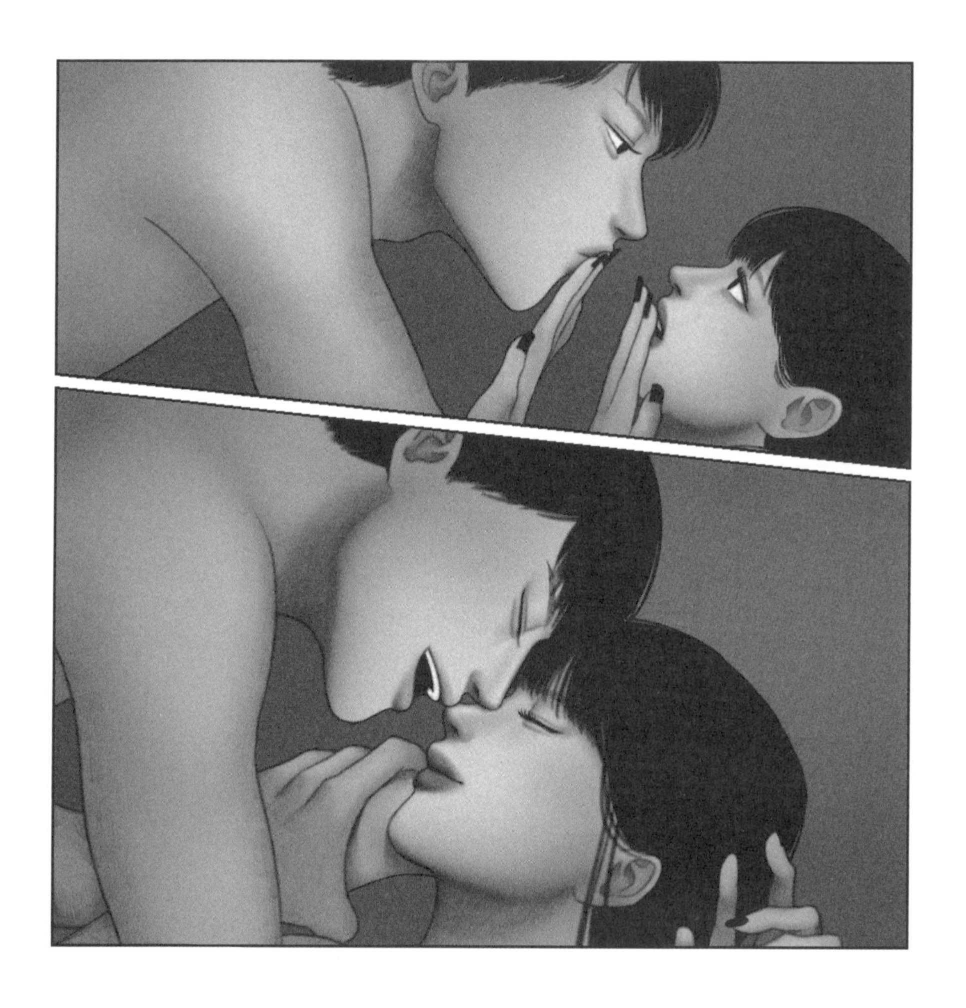

●

양치를 하지 않은 날엔 잠시 망설이다가도

내꺼

어딜 가도 자랑하고 싶은 네가 거리에만 서면
유독 더 멋있어 보이는 거야.
그럴 때면 보란 듯이 널 껴안지.
탐내지 말라고.

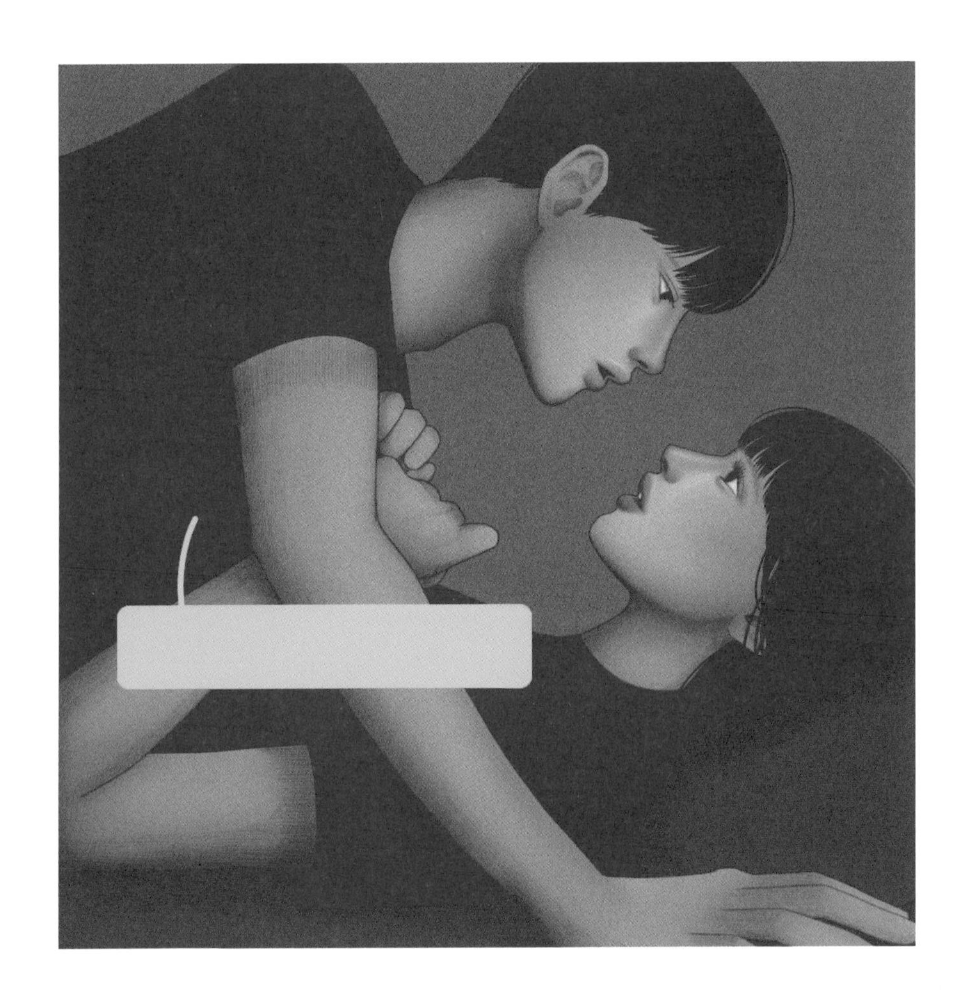

오늘 집에 안 가면 안되냐

할래?

너 왜 생얼이 더 예뻐

나에게 와줘서 고마워
절대 널 놓치지 않을 거야

수많은 인연을 돌고 돌아
나에게로 온 너와의 만남은
결코 우연이 아니기에.

공은 찬 사람이 가져오는 거야

□ 네가 떠났다.

뜨거운 사랑만큼이나 지긋지긋하게 싸웠던 우리였다.
사랑해서 이만큼 싸울 수도 있는 거라고 했던 네가
결국 우리는 맞지 않는다는 결론을 내었다.

내 기차의 종착역은 신뢰와 배려로 완성된 '우리'였고
조금은 삐걱거려도 내 기차는 완성된 우리를 향해 달려가고 있다고 생각했다.
하지만 너의 종착역은 '우리'가 아닌 '이별'이었다.
맞춰가려는 과정은 그저 다툼이었을 뿐, 다툼의 끝은 완성이 아닌 이별이었다.

종착역이 다른 기차는 같은 방향으로 달릴 수 없다.
우린 누구보다 잘 맞는다고, 앞으로 더 맞추면 된다고
바락바락 우겨서는 안 되는 일인 걸 알았다.
그래서 나는 너의 이별을 받아들였다.

어느 날, 날 떠난 네가 도리어 힘들어한다는 소리가 들렸다.
나를 떠난 것이 후회된다고 했다.
아무리 욕을 해도 미워지지 않던 네가, 그 순간 미워지더라.

하지만 멀리 차버린 공을 주워오지 않는 데엔 분명히 그만한 이유가 있다.
돌아오지 않는 이유가 자존심 때문이든, 죄책감 때문이든
아직은 그 모든 걸 뿌리칠 만큼 너는 내가 간절하지 않다.

당장이라도 달려가서 너는 왜 힘들어하느냐고,
그렇게 힘든데 왜 다시 나에게로 오지 않느냐고, 왜 먼저 연락 한 통을 하지 않느냐고,
이 끔찍한 이별의 아픔보다 내가 너의 곁에 있는 것이 너를 더 괴롭게 했느냐고 물을 수 없었다.
단지, 돌아오기에 아직 늦지 않았다고 말해주고 싶었다.

나는 이제는 '이별'이라는 종착역을 향해 달려가고 있으니,
더 늦기 전에 얼른 나의 기차로 환승하길.

나만 좋아해야 돼
널 두고 누굴 좋아해 이렇게 이쁜데

안심시키려고 하는 말이 아니야.
나 콩깍지 같은 거 없어.
그냥 네가 진짜 예뻐.

뭐해? 첫눈 오는데 네 생각 나더라.

*

무심코 내다본 겨울 창가. 첫눈이 내리고 있었다.
당연하다는 듯이 네 생각이 났다. 같이 봤으면 참 좋았겠다고 생각했다.

텅 빈 풍경을 꾸미던 눈송이는 금세 익숙한 풍경이 되었다. 곧장 소파에 누워 TV를 켰다.
무엇을 보고 있는지도 모른 채 머릿속은 온통 너의 생각뿐이다.
첫눈은 짧았는데, 너의 여운은 길다.

홀로 맞이하는 첫눈은 너의 부재로 인해 무의미해졌다.

네가 어떤 모습이든
그 모습 그대로를 사랑할게
그 마음 변치마

어떤 모습이든 사랑하겠다는 말,
굳은 다짐이 아니다.

어떤 모습이든 필연처럼 자연스럽게 사랑하게 되는 사람.
이해하려는 노력을 굳이 하지 않아도, 마음이 먼저 너의 편을 드는 사람.
그게 너니까.

다짐이 아니라 어쩔 수 없는 선택인 거야.
어떤 모습이든 네가 그냥 좋은 거야.

여자친구가 너무 이뻐서 걱정이야
작작해라
싫어.

세상에서 제일 쓸데없는 걱정인데
제일 중요한 걱정

내가 한 걱정 중 가장 쓸데없는 걱정은?

쓸데없는 걱정을
쓰레기통에 담아보자

사랑받는 여자가 그렇게 예쁘대
그래서 네가 이렇게 예쁜가 봐

나를 더 빛나게 해주는 사람.
그래서 더 사랑할 수밖에 없게 만드는 사람.

헷갈리게 할 거면 꺼져!!!!!

나를 좋아하는 사람은 나를 헷갈리게 하지 않아.
그래서 나는 나를 헷갈리게 하는 사람을 좋아하지 않아.

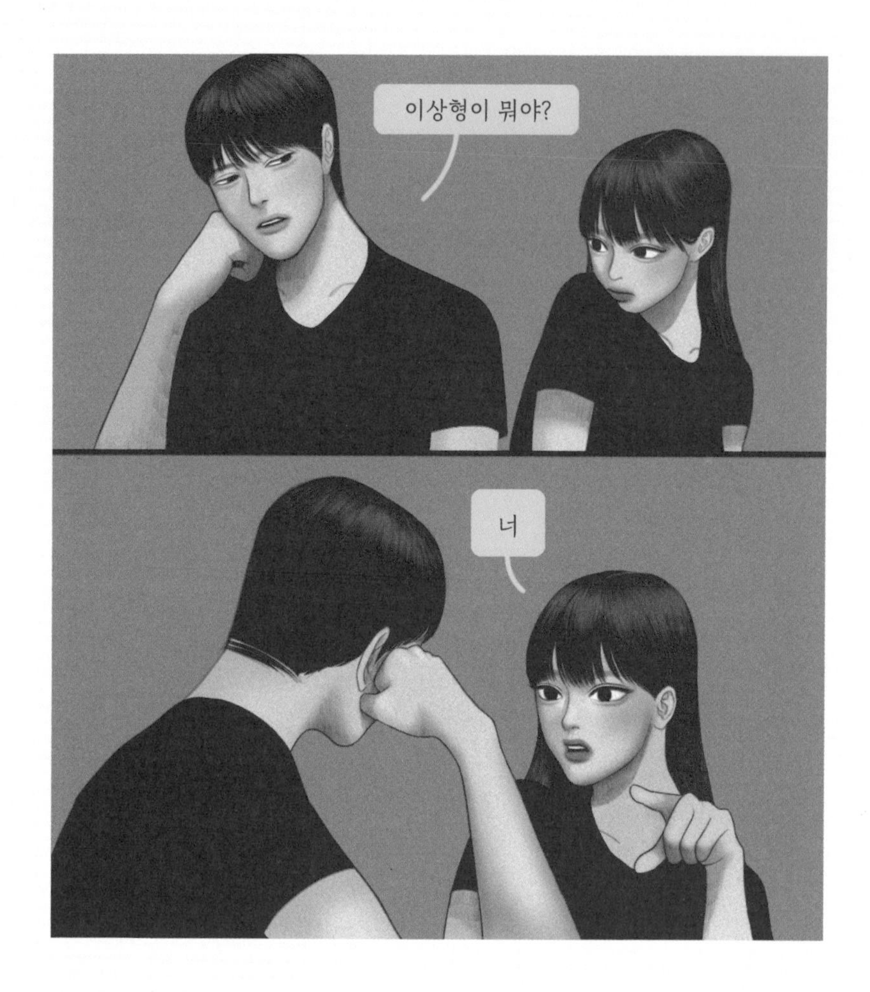
이상형이 뭐야?
너

○

너는 없던 내 이상형마저 만들어냈지

빈 칸을 채우시오.

언젠가 나를 사랑하지 않아서 떠나더라도
내가 필요하면 돌아와야 해

한 사람과의 인연이 조금 말도 안 되게 길게 이어지는 경우가 있다.
분명 나는 멀어지려 하고 있고, 서로 간의 인연은 거의 소멸됐다고
보이는데도 불구하고 말이다. 그렇다면 답은 하나다.
그럼에도 나는 아직 이 사람을 필요로 하는 것이다.
사람의 감정은 복합적이다.

이미 사랑은 오간데 없고, 악감정만 가득하며 애증에 가까운 감정만
상대에게 남았다고 해도 나는 여전히 이 사람을 필요로 할 수 있는
거다. '사랑하지 않는다'는 감정 하나만이 관계를 완벽하게
정의해주지 않는다는 소리다. 사랑하지 않아도, 미워해도, 애증해도,
나는 여전히 상대방을 필요로 할 수 있다.

미친 듯이 사랑해.
네가 준 사랑 잊지 않을게.

Epilogue_

2018년에 출간한 『훗날 내 청춘을 떠올리면 네가 가장 먼저 생각날 거야』는 2년간 미친 듯이 연애하고 이별했을 때 이별의 감정을 주체할 수가 없어서 그렸던 그림들을 펴낸 책입니다. 그래서인지 제 그림을 보고 누군가를 떠올린다는 것, 추억 속 한 부분을 회상한다는 것, 공감하거나 슬퍼하거나 사랑하는 누군가와 공유하거나, 모두 저에게 참 감사한 일입니다. 그것만으로도 많은 위로가 되었습니다. 저도 아마 여러분들과 똑같은 감정으로 그림을 그렸을 거예요.

저에게 있어선 '젊은 것'만이 청춘을 뜻하는 것은 아닙니다. 사랑하는 모든 사람에게 제각각의 '청춘'이 있는 것이니까요. 그 청춘의 특별한 감정을 놓치고 싶지 않아서 '기록형'으로 기획했던 책. 제가 사랑하면서 잊고 싶지 않았던 기억, 남겨두고 싶었던 감정들을 떠올리며 '기록형 콘텐츠'를 구상했어요. 작업하면서 많이 행복했고, 또 그만큼 많이 아팠습니다. 술도 많이 마셨습니다. 마감하자마자 발리로 떠났고, 그곳에서 남은 미련마저 훌훌 털어버리고 행복한 삶을 사느라 책 홍보를 거의 하지 못했는데 감사하게도 많은 분이 사랑해주셔서 이렇게 예쁜 개정판이 나오게 되었습니다.

더 많은 청춘의 이야기들이 이 책에 담기길 바라요.

게으른 한량 노선경을 닦달하지 않고 말없이 뒤에서 열심히 응원해준 필름 출판사 대표님들 감사합니다. 하고 싶은 건 다 해볼 수 있게 무엇을 하든 적극적으로 믿고 지지해준 부모님, 존경하고 사랑합니다. 자랑스러운 큰딸이 될게요. 이별 극복의 일등공신 내 반쪽 쌍둥이 연경이도 고맙고, 마지막으로 책을 쓸 수 있게 큰 영감이 되어준 전 남친아, 유병장수해라….

훗날 내 청춘을 떠올리면,
네가 가장 먼저 생각날 거야

초판 1쇄 발행	2018.4.26
개정증보판 7쇄	2023.4.10
글, 그림	노선경
기획편집	전수현 김승민
디자인	이현진
마케팅	김지우 송유경 모강빈 김은주 조원희 김예은
경영지원	홍성현 정주연 오한별

펴낸이	김상현
펴낸곳	필름(Feelm) 출판사
주소	서울시 영등포구 양평로30길 14, 907호
전화	070 8810 6304
팩스	070 7614 8226
이메일	book@feelmgroup.com
등록번호	제2019-000086호
등록일자	2016년 6월 13일

이 도서의 국립중앙도서관 출판예정도서목록(CIP)은
서지정보유통지원시스템 홈페이지(http://seoji.nl.go.kr)와
국가자료종합목록시스템(http://nl.go.kr/kolisnet)에서 이용하실 수 있습니다.
(CIP제어번호: CIP2019007511)